Mick Fouriscot • *Marie-Pierre Cabarez*

POINT DE CROIX

Provinces de France

Éditions Didier CARPENTIER

Marie-Pierre Cabarez

Après des études qui l'amènent à une licence d'espagnol,
Marie-Pierre se dirige tout naturellement vers l'enseignement.

Elle se marie et trois enfants
vont rapidement l'occuper à temps complet.

Le travail de son mari l'oblige à changer fréquemment de villes
sans pour autant changer de région.

Elle reste fidèle au Nord, pour lequel elle a une grande tendresse.

Depuis son plus jeune âge, Marie-Pierre est passionnée par le travail manuel,
les travaux d'aiguille et tout particulièrement la tapisserie.

C'est vers vingt-cinq ans que le point de croix remplace tous ses autres passe-temps.

Elle commence par reproduire des éléments trouvés dans les livres d'art
en composant des grilles et en choisissant les couleurs.

C'est en 1993 que le point de croix et son dessin envahissent sa vie
et captivent son attention.

En effet, à cette époque un incident particulier l'oblige,
tout en continuant à s'occuper de sa famille,
à prendre quelques distances et à aborder une nouvelle étape dans sa propre existence.

Elle trouve dans la nature, l'architecture, la vie enfin ;
puis dans les fils, la couleur, la construction des formes,
un nouveau chemin sur lequel elle s'engage avec volonté et ténacité.

S'isolant dans la recherche, elle se ressource, réfléchit,
se retrouve et donne un nouveau sens à sa vie.

Elle aime flâner dans les plaines du Nord de la France, de la Belgique, de la Hollande,
visiter les villes et admirer leur architecture.

Elle s'émeut devant une rose trémière, une glycine…

Elle adore les livres d'enfants qu'elle ouvre discrètement dans les librairies spécialisées,
tout en avouant avoir passé l'âge ; elle continue d'en aimer les dessins naïfs.

En partant de tout ce que sa mémoire a emmagasiné et son œil glané,
elle imagine des dessins et des couleurs, trace des grilles,
choisit l'étamine et les fils colorés et,
prenant l'aiguille, croise les brins jusqu'à rendre tangibles et bien réels tous ses rêves.

Soutenue par sa famille, elle s'affirme et propose ses grilles
aux plus importants supports de commercialisation du point de croix.

Nombreuses sont celles qui ont réalisé ses œuvres sans le savoir, sans la connaître.

Aujourd'hui, elle espère que vous aurez autant de plaisir
à réaliser ses dessins qu'elle, à vous les offrir.

Mick Fouriscot

Les auteurs remercient Marie Pieroni *pour la qualité de ses diagrammes.*

SOMMAIRE

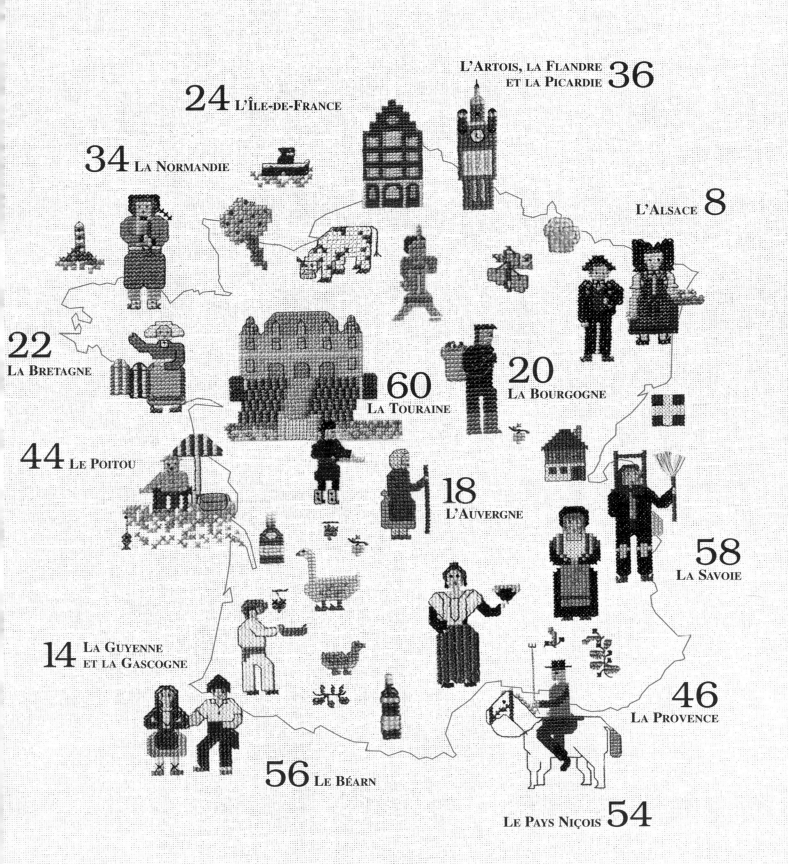

GÉNÉRALITÉS

Peut-être avez-vous décidé de commencer à broder au point de croix ou
êtes-vous, déjà, une inconditionnelle ; mais quelles que soient vos raisons
vous savez que vous allez vous faire plaisir en croisant les fils.

Matériel et fournitures

L'ensemble est peu onéreux et se trouve
dans tous les pays, dans toutes les villes,
dans de nombreux magasins spécialisés
en loisirs créatifs, dans les grandes surfaces
et même dans les merceries de village.

Les métiers

L'utilisation d'un tambour est recommandée
et permet une tension régulière de la toile
et donc une grande régularité de points.
La dimension du tambour est fonction
de la surface à broder.

Les aiguilles

Choisissez une aiguille à tapisserie courte
à bout rond et chas long.
Plus le numéro de l'aiguille est élevé
plus l'aiguille est fine.
Les numéros les plus utilisés pour la confection
du point de croix se situent entre 20 et 24.

Les paires de ciseaux

Utilisez une paire de ciseaux courts,
pointus à lames fines et coupantes pour la broderie.
Une paire de ciseaux plus longs
et à bouts plus arrondis vous sera très utile
pour couper les toiles et les rubans.

Les toiles

Le choix s'est porté sur des toiles Aïda,
des toiles de coton ou de lin.

Les fils

Le fil à broder peut être de soie, de lin
ou en synthétique. Mais, pour ce qui concerne
cet ouvrage, il est en coton.
Proposé en échevettes et dans une palette de coloris
très large, le coton Mouliné DMC
est composé de plusieurs brins.
En principe, pour réaliser le point de croix
sur les toiles Aïda en 5 1/2 points/cm,
brodez sur 1 fil avec 2 brins en 7 1/2 points/cm,
brodez sur 1 fil avec 1 seul brin en 11 points/cm,
brodez sur 3 fils avec 2 brins.
Le fil à bâtir est indispensable pour faufiler
une pièce brodée sur un support ou assembler
deux éléments, ou encore pour marquer
le centre d'un ouvrage.

Conseil

Il est important de bien placer
et de bien cadrer les motifs avant de les broder.
Pour cela, centrez-les sur la toile coupée
aux dimensions voulues.
Divisez la toile à l'aide de deux fils de bâti placés
perpendiculairement et horizontalement de façon
à bien situer le point d'intersection
qui vous servira de repère.
Il vous sera ainsi aisé de compter les cases
du diagramme et les fils de la toile en commençant
par le centre.

Chronologie

Partez toujours du centre de la broderie vers l'extérieur,
cela vous évitera ainsi d'être «coincée»
entre des zones faites et des zones à faire.
La régularité de votre travail s'en ressentira.
Il est préférable de terminer une couleur
avant d'en commencer une autre.
Les points «accessoires», point de nœud,
de piqûre, ou avec des perles, boules, rubans, etc.
seront brodés ou placés en fin d'ouvrage.

Aiguillées

Ne prenez pas plus de 45 cm de longueur de fil.
Ne faites pas un nœud à l'extrémité du fil.
Commencez la broderie en laissant 2 ou 3 cm de fil
sur l'envers de la toile.
Vous le cacherez ensuite sous les points.
Lorsque vous aurez terminé votre broderie
ou si vous n'avez pas assez de fil pour la continuer,
ne coupez pas le fil restant.
Faites-le passer sur l'envers de la toile et glissez-le
dans les points déjà effectués.
Continuez votre broderie en prenant
une nouvelle aiguillée.

Entretien

Vos ouvrages, s'ils sont fragiles, devront être lavés
à la main dans un bain de savon à paillettes
et longuement rincés.
S'ils sont plus solides, placés dans une poche,
ils pourront sans problème être lavés
dans une machine en utilisant un savon approprié
et un programme de lavage délicat sans essorage.
Le repassage se fait toujours sur l'envers de la broderie.
L'ouvrage est placé sur une serviette éponge
recouverte d'une toile ou sur un molleton.

LES POINTS UTILISÉS

Point de croix

Recommandations générales :
- Commencez la broderie toujours dans le même sens.
- Évitez que le fil ne vrille.
- Ne faites aucun nœud.

Ce point peut s'exécuter de la façon suivante :
- Fixez solidement le fil de départ par deux petits points sur place.

- Faites une rangée (A) de points en oblique parfaitement parallèles, le pied du point suivant étant au niveau de la tête du point le précédant.
- Inversez le sens des points (B) en recouvrant les points de la rangée (A).
- Traversez les points (A) en leur milieu par les points (B). Continuez de la même manière les rangées suivantes (C).

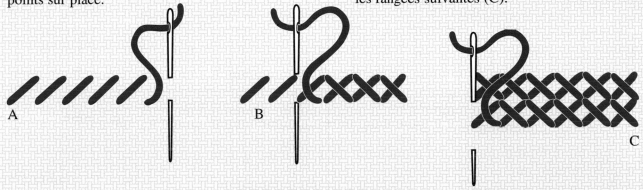

Demi-point de croix

Confectionnez-le en ne faisant que la première partie (A) du point de croix.

Point de piqûre

C'est un point arrière dirigé de droite à gauche et qui se fait en repiquant dans la sortie du fil du point précédent.
1 - Commencez en faisant ressortir l'aiguille du tissu.
2 - Faites un point en arrière d'une longueur souhaitée.

3 - Passez l'aiguille sous le tissu en calculant deux fois la longueur de ce point.
4 - Faites ressortir l'aiguille du tissu.
5 - Piquez l'aiguille dans la sortie du point précédent.
6 - Continuez en reprenant au point 3.

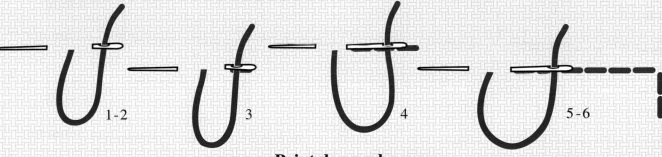

Point de nœud

Appelé aussi point noué ou point de graine, il se fait de deux façons :
1 - Piquez l'aiguille dans la toile.
2 - Faites-la ressortir sur l'endroit.

3 - Entortillez une ou deux fois le fil autour de l'aiguille.
4 - Repiquez dans la toile en maintenant le nœud pour qu'il glisse bien et se mette à sa place.

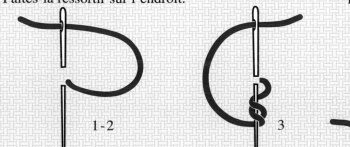 

5 *Le point de nœud fini*

L'ALSACE

*C'est la plus fleurie et la plus petite région de France
Elle se compose de deux départements, le Bas-Rhin avec Strasbourg et le Haut-Rhin avec Colmar.
Le nom Alsacien apparaît en 610 après J.-C.
Cette région a su conserver toutes ses spécificités patrimoniales.*

Les habitations

Les maisons peintes de couleurs différentes,
aux deuxièmes étages mansardés
et aux fenêtres fleuries sont caractéristiques
des villes et des villages alsaciens.

■ 701	■ 838	■ point de croix
■ 704	■ 676	◢ demi-point de croix
■ 3776	□ 3033	╱ point de piqûre
■ 400	■ 349	• point de nœud
■ 799	■ 950	
■ 798	□ 318	

Sac
*Vous pouvez rangez, entre autres, dans ce petit sac
tout simple mais si utile, vos pelotes de laine.*

Fournitures
- une échevette de coton à broder de chaque coloris
- 60 × 40 cm de toile vichy vert et blanc
- 31 × 7,5 cm de galon blanc festonné en toile Aïda
- 120 × 1 cm de ruban écossais
- 60 cm de biais (coulissé)

Points utilisés
- point de croix (2 brins)
- demi-point de croix (2 brins)
- point de piqûre (1 brin)
- point de nœud (1 brin)

Réalisation
Confectionnez le sac, dans la toile vichy.

Brodez le motif en le centrant, dans la toile Aïda.

Montez-le à 4,5 cm du bas sur le devant du sac
en le prenant dans les coutures des côtés.

Passez le ruban écossais dans le coulissé.

L'ALSACE

Les costumes traditionnels

Le costume alsacien n'a pas été porté
entre 1871 et 1914 en signe de résistance
envers l'envahisseur.

La coiffe est composée d'un grand nœud noir.
La jupe est rouge bordée d'un ruban de velours noir.

Le boléro, souvent en velours noir,
brodé de paillettes,
est porté sur une blouse blanche.

Les protestantes se distinguent
par les pans du nœud
beaucoup plus longs
tandis que les bourgeoises
se différencient par un nœud blanc.

Les habitantes de Geispolsheim
portent un nœud rouge et celles de Bitschhoffen
un nœud écossais.

Serviettes de table

*Ces serviettes, animées de personnages,
égaieront vos repas.*

Fournitures pour une serviette
- une échevette de coton à broder de chaque coloris
- une serviette de toile vichy rouge et blanc
- 40 × 8 cm de galon blanc festonné en toile Aïda

Points utilisés
- point de croix (2 brins)
- demi-point de croix (2 brins)
- point de piqûre (1 brin)
- point de nœud (1brin)

Réalisation

Centrez bien le motif à broder
sur le galon de toile Aïda.

Brodez-le et cousez-le sur la serviette.

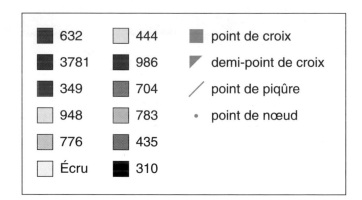

■ 632	▢ 444	■ point de croix
■ 3781	■ 986	◤ demi-point de croix
■ 349	■ 704	╱ point de piqûre
▢ 948	■ 783	• point de nœud
▢ 776	■ 435	
▢ Écru	■ 310	

L'ALSACE

La gastronomie

La choucroute alsacienne est si célèbre
que la ville de Colmar lui consacre
le premier week-end du mois de septembre.

Pour accompagner ce plat délicieux, outre la bière,
les vins d'Alsace offrent de nombreux crus
tels les Riesling, Sylvaner, Muscat, Tockay,
Pinot, Gewurztraminer.

Si vous en avez le loisir, empruntez *La route des vins*
qui relie Thann à Marlenhein pour les déguster.

Serviettes d'invités

Ces serviettes brodées seront appréciées de tous.

Fournitures pour une serviette
- une échevette de coton à broder de chaque coloris
- une serviette d'invité en nids d'abeilles (50 × 28)

Points utilisés
- point de croix (2 brins)
- demi-point de croix (2 brins)
- point de piqûre (1 brin)
- point de nœud (1 brin)

Réalisation
Centrez bien le motif sur la partie lisse
de la serviette d'invité et brodez-le.

▨ 642	☐ 677	▨ point de croix
▨ 822	▨ 435	◤ demi-point de croix
▨ 500	▨ 3778	╱ point de piqûre
▨ 3348	▨ 3772	• point de nœud
▨ 3346	▨ 738	
▨ 746	▨ 310	
▨ 743		

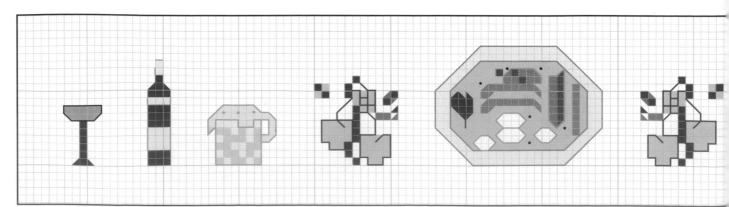

LA GUYENNE
ET LA GASCOGNE

À partir du XIIIe siècle le nom de Guyenne, en langue d'oïl dérivé de Aquitania,
devient d'usage courant.
La région a été occupée par les Ibères, les Romains, les Wisigoths et les Anglais.
C'est en 1472 que l'Aquitaine devient Française.

Le Duché de Gascogne fut uni à l'Aquitaine en 1052.

Guyenne et Gascogne

Des provinces où la gastronomie est célébrée comme un art.

Les remarquables vins du Bordelais,
l'Armagnac, les truffes, les oies et les canards
avec leurs foies gras, les fruits et légumes
sont renommés dans le monde entier.

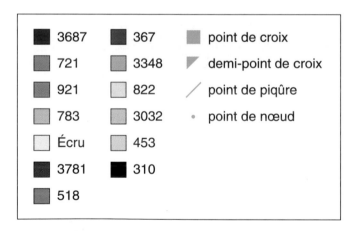

3687	367	point de croix
721	3348	demi-point de croix
921	822	point de piqûre
783	3032	point de nœud
Écru	453	
3781	310	
518		

Serviettes d'invités

La frise qui se déroule sur ces serviettes
est une incitation à la gourmandise.

Fournitures pour une serviette
- une échevette de coton à broder de chaque coloris
- une serviette d'invité en nids d'abeilles (50 × 28 cm)

Points utilisés
- point de croix (2 brins)
- demi-point de croix (2 brins)
- point de nœud (1 brin)
- point de piqûre (1 brin)

Réalisation
Centrez bien le motif de la frise sur la partie lisse
de la serviette d'invité et brodez-le.

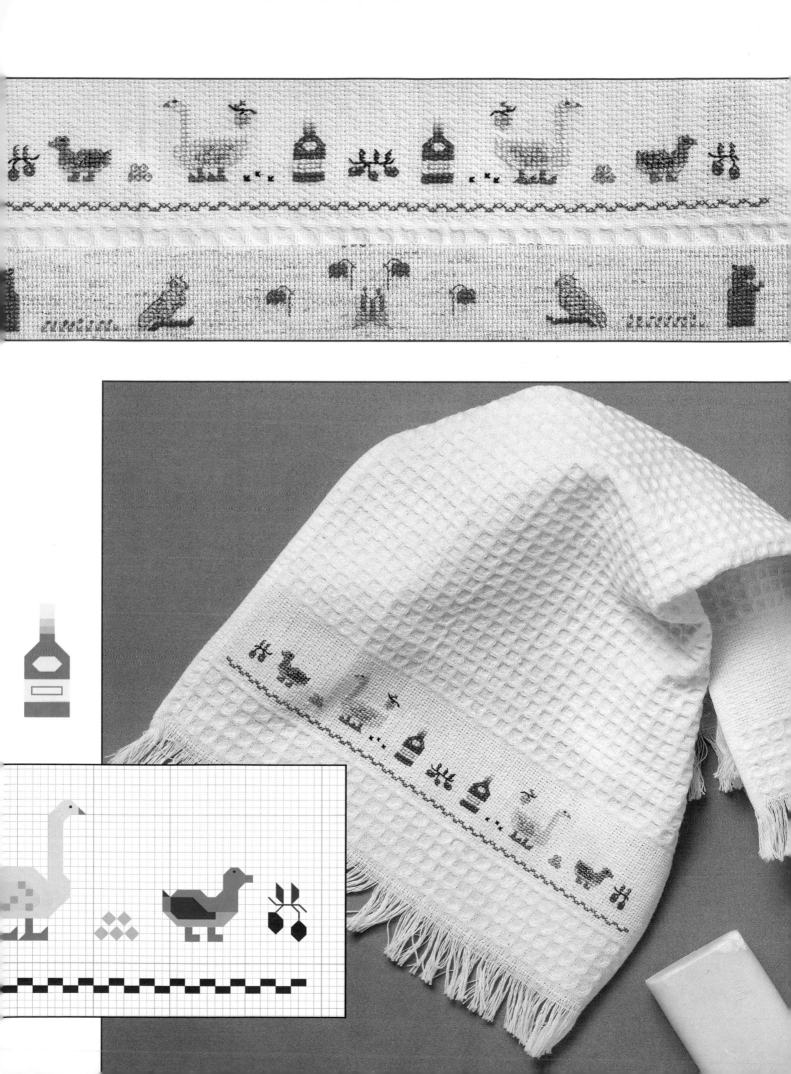

LA GUYENNE
ET LA GASCOGNE

En passant par le Pays basque

Ethnie attestée en Navarre vers 8000 ans avant J.-C.
et dont la langue se serait répandue dès l'âge de Bronze.

Le Pays basque ou Euzkadi Ta Askatasuma :
(nom basque signifiant «Le Pays basque et sa liberté»)
se répartit entre trois provinces basques françaises
et quatre provinces basques espagnoles.

La pelote basque

Ce jeu descend de l'ancien jeu de paume français.

Mentionné au XIIᵉ siècle,
il se développe au XVIIIᵉ siècle et surtout
au XXᵉ avec l'invention de la chistera,
panier en forme d'ongle fait d'osier et de châtaignier.

Ce jeu, très sportif, se pratique maintenant à Paris,
à La Réunion, dans le Sud-Ouest de la France
mais aussi en Amérique, en Espagne, en Belgique,
en Italie et au Maroc.

Tableautin

*Ce tableautin fera l'objet d'un charmant cadeau
à offrir pour un anniversaire sportif.*

Fournitures

- une échevette de coton à broder de chaque coloris
- 21 × 16 cm de toile Aïda écrue en 7 points/cm
- un cadre rustique en bois

Points utilisés

- point de croix (2 brins)
- demi-point de croix (2 brins)
- point de nœud (1 brin)
- point de piqûre (1 brin)

Réalisation

Centrez bien le motif sur la toile Aïda
et brodez-le.

Encadrez ensuite votre broderie.

989	948		point de croix
988	776		demi-point de croix
3781	743		point de piqûre
535	349		point de nœud
519	721		
518	435		

Blanc sur toile écrue
(ou écru sur toile blanche)

L'AUVERGNE

Peuplée depuis le paléolithique, la région d'Auvergne comprend quatre départements :
le Puy-de-Dôme avec sa capitale régionale Clermont Ferrant, la Haute-Loire avec sa ville principale Le Puy-en-Velay,
le Cantal avec Aurillac et l'Allier avec Moulins. Malgré deux présidents de la République
MM. Pompidou et Giscard d'Estaing, l'homme le plus célèbre d'Auvergne reste Vercingétorix.

Les fermes

Les fermes auvergnates sont encastrées
dans le relief
pour mieux supporter la «burle» qui souffle
lors des hivers rigoureux.
Les moutons et les brebis sont nombreux surtout
dans le sud de la région.
Le lait des brebis produit des fromages renommés
comme le chevreton et le roquefort.

Kakémono

Fournitures

- une échevette de coton à broder de chaque coloris
- 27 × 15 cm de galon brodé Aïda écru en 11 points/cm
- 20 × 1 cm de ruban (motif carreaux vert et blanc)
- 2 baguettes de bois de 20 cm et de Ø 1 cm

Points utilisés

- point de croix (2 brins)
- point de piqûre (1 brin)

Réalisation

Centrez et brodez le motif sur le galon de toile Aïda.
Confectionnez deux ourlets de 3,5 cm
à chaque extrémité et glissez les baguettes de bois.
Cousez le ruban pour suspendre le kakémono.

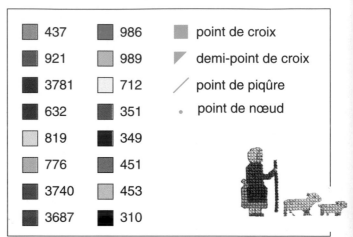

437	986	point de croix
921	989	demi-point de croix
3781	712	point de piqûre
632	351	point de nœud
819	349	
776	451	
3740	453	
3687	310	

LA BOURGOGNE

*La Bourgogne, créée en 1960, englobe l'ancien duché de Bourgogne,
des parties des anciennes provinces de Champagne, d'Ile-de-France, de l'Orléanais, et du Nivernais.
La région comprend quatre départements : la Côte d'Or avec sa ville principale Dijon, la Nièvre avec Nevers,
la Saône-et-Loire avec Mâcon et l'Yonne avec Auxerre.
Sept siècles avant J.-C., la Bourgogne participait déjà aux grands échanges commerciaux et culturels du monde connu.
Les hommes les plus célèbres sont Charles le Téméraire et le chanoine Kir !*

Les fermes

Les toitures des habitations bourguignonnes
se distinguent par des toitures aux tuiles vernissées.

La gastronomie est renommée
grâce à des crus superbes tels Gevrey Chambertin,
Clos Vougeot, Nuits-Saint-Georges auxquels s'ajoutent
d'autres spécialités comme le poulet de Bresse.

Petit tableau-souvenir

Fournitures

- une échevette de coton à broder de chaque coloris
- 20 × 15 cm de toile Aïda mastic en 5,5 points/cm
- un cadre en bois de 26 × 20 cm
- un passe-partout vert de 26 × 20 cm
- une attache de suspension

Points utilisés

- point de croix (2 brins)
- demi-point de croix (2 brins)
- point de piqûre (1 brin)
- point de nœud (1 brin)

Réalisation

Centrez le motif sur la toile Aïda et brodez-le.

Centrez et découpez une fenêtre-image
de 14 × 10 cm dans le passe-partout.

Collez la broderie au dos.

Montez le cadre et fixez l'attache de suspension.

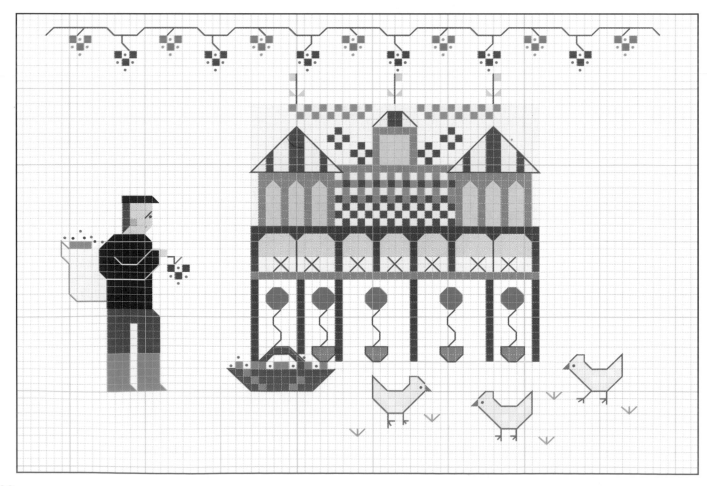

319	Écru	point de croix
470	3776	demi-point de croix
553	948	point de piqûre
209	776	point de nœud
640	721	
744	336	
783	762	
433		

LA BRETAGNE

Plus de 3500 ans avant J.-C.
une civilisation existait en Bretagne dont dolmens et menhirs en portent le témoignage.
La capitale régionale est Rennes.
Renommés pour leur caractère, les Bretons ont su conserver leur identité et leurs traditions.
Les personnages préférés des jeunes et des moins jeunes sont Merlin l'enchanteur et... Astérix !

La côte bretonne

La pointe de la Bretagne finement tracée,
les bateaux et le phare, les cabines de plage,
l'adieu sur la jetée de la Bretonne en coiffe
et le Breton jouant du biniou et portant chapeau rond,
plantent un décor réaliste sur fond de mer bleue.

Plateau

Fournitures

- une échevette de coton à broder de chaque coloris
- 23,5 × 18,5 cm de toile Aïda bleu pastel
  en 5,5 points/cm
- 70 × 1 cm de ruban écossais bleu et blanc
- de la colle
- un plateau de 22,5 × 17,5 cm
  (cotes intérieures du fond)

Points utilisés

- point de croix (2 brins)
- demi-point de croix (2 brins)
- point de piqûre (1 brin)
- point de nœud (1 brin)

Réalisation

Centrez et brodez le motif sur la toile Aïda.

Collez-la ensuite sur le fond du plateau
en prenant soin de faire un petit ourlet
de 0,5 cm tout autour.

Terminez en collant le ruban écossais.

Bien entendu, vous pouvez choisir
un autre modèle de plateau (rond, ovale etc.).

Dans ce cas, vous devez adapter les dimensions
de la toile Aïda.

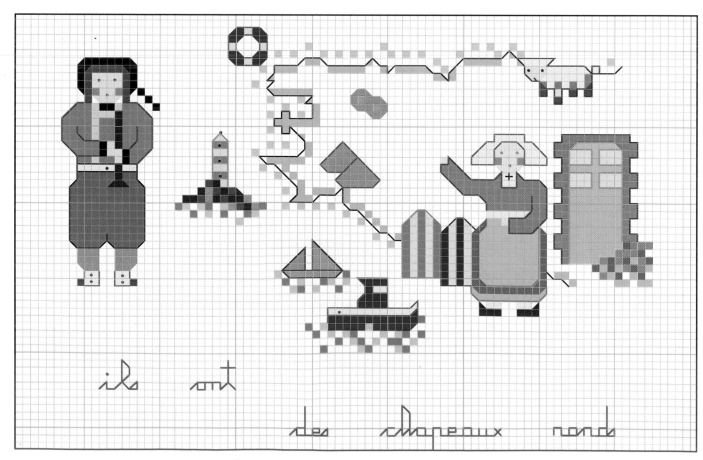

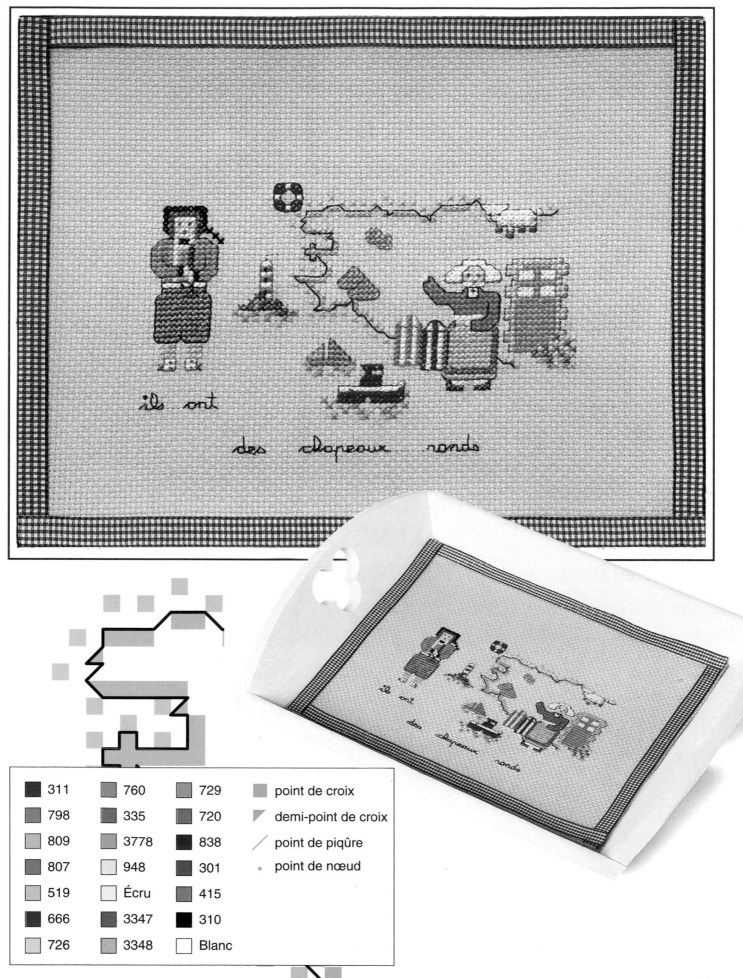

■ 311	760	729	point de croix
798	335	720	demi-point de croix
809	3778	■ 838	point de piqûre
807	948	301	• point de nœud
519	Écru	415	
■ 666	3347	■ 310	
726	3348	□ Blanc	

L'ÎLE-DE-FRANCE

Si son nom apparaît en 1387 et en 1419 dans les chroniques,
ce n'est qu'en 1976 que la région est créée.
Elle regroupe huit départements et 10 836 000 habitants.
La ville phare en est Paris.

Les bouquinistes

Avant de s'installer sur les quais,
les bouquinistes présentaient, au XVIIe siècle,
leurs marchandises sur les parapets des ponts
et plus particulièrement sur ceux du Pont-Neuf.

Délogés par des ordonnances en 1649 et en 1721,
puis tolérés au début du XIXe siècle,
ils obtinrent vers 1895, moyennant une redevance,
l'autorisation de conserver leurs boîtes à demeure,
scellées au parapet des quais et munies d'un cadenas.

Tableautin

Ce tableautin dont l'encadrement est un tambour
de broderie, donnera une note de couleurs
au triste bureau d'une chambre d'enfant.

Fournitures
- une échevette de coton à broder de chaque coloris
- 27 × 27 cm d'étamine de lin écru en 11 points/cm
- un tambour de broderie

Points utilisés
- point de croix (2 brins)
- demi-point de croix (2 brins)
- point de piqûre (1 brin)
- point de nœud (1 brin)

Réalisation

Commencez par bien tendre le morceau d'étamine
sur le tambour. Centrez le motif et brodez-le.

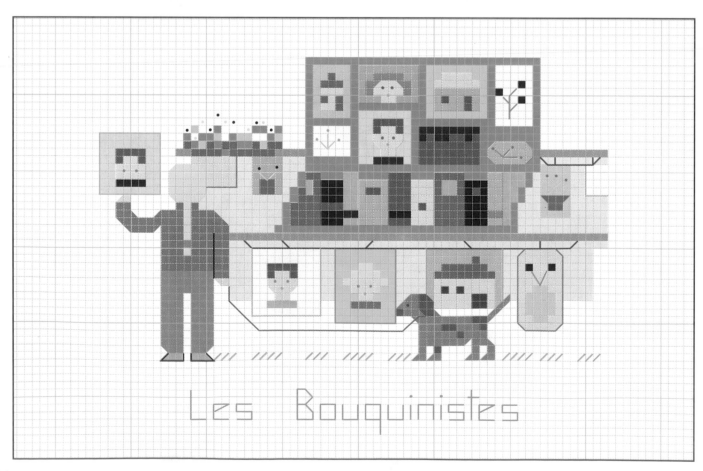

▦	3687	■	349	▦	904	
▦	3609	▦	434	▦	3348	
▦	754	▦	3781	▦	517	
▦	745	▦	437	▦	798	
▦	3046	▦	3776	▦	809	
▦	3078	▦	783	■	311	
▦	Écru	▦	722	▦	762	
▦	3032	▦	743	▦	415	

▦ point de croix

◤ demi-point de croix

╱ point de piqûre

• point de nœud

L'ÎLE-DE-FRANCE

La brasserie

La brasserie est le lieu privilégié et convivial
où l'on peut déguster de la choucroute,
des viandes froides ou chaudes, des salaisons…
tout en s'abreuvant de bière, de vin d'Alsace,
et de tant d'autres !

L'ambiance est toujours animée
et les garçons en gilet noir et tablier
accentuent le caractère typique du lieu.

Tableautin

Fournitures

- une échevette de coton à broder de chaque coloris
- 22 × 16 cm de toile Aïda mastic en 5,5 points/cm
- un passe-partout en carton de 30 × 24 cm
- 40 × 35 cm de tissu uni ou à petits carreaux rouge et blanc
- un carton de fond de 19 × 25 cm
- de la colle et une attache de suspension

Points utilisés

- point de croix (2 brins)
- demi-point de croix (2 brins)
- point de piqûre (1 brin)
- point de nœud (1 brin)

Réalisation

Centrez le motif de la broderie au milieu
de la toile Aïda.

Centrez et découpez une fenêtre-image
de 12 × 18 cm dans le passe-partout.

Habillez-le de tissu à carreaux.

Centrez et collez la broderie au dos.

Montez le carton de fond et fixez l'attache.

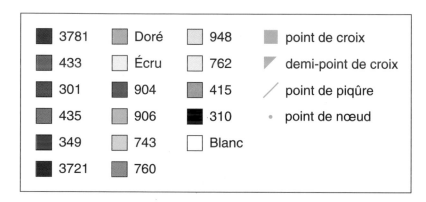

■ 3781	■ Doré	■ 948	■ point de croix
■ 433	□ Écru	■ 762	◤ demi-point de croix
■ 301	■ 904	■ 415	╱ point de piqûre
■ 435	■ 906	■ 310	• point de nœud
■ 349	■ 743	□ Blanc	
■ 3721	■ 760		

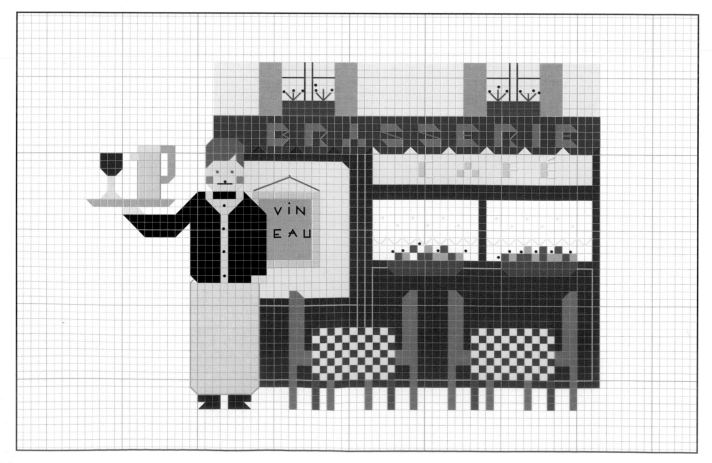

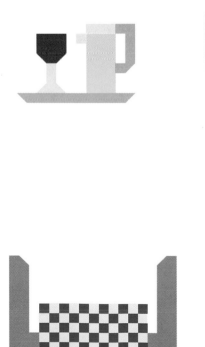

L'ÎLE-DE-FRANCE

Montmartre

Ce nom viendrait du mont de Mars ou de Mercure ou encore du martyre de Saint-Denis.

C'est dans la célèbre Abbaye des Dames de Montmartre qu'Henri IV menait joyeuse vie lors du siège de Paris.

La basilique du Sacré-Cœur fut construite en 1873 et au XXe siècle, des cabarets (le Lapin Agile, etc.) artistiques ou littéraires se sont ouverts.

Des peintres, des chanteurs, des comédiens habitent toujours sur la butte Montmartre.

Bloc «Pense-bête»

Fournitures

- une échevette de coton à broder de chaque coloris
- 14 × 12 cm de toile Aïda écrue en 7 points/cm
- un pense-bête avec bloc
- 40 × 1,5 cm de ruban à carreaux marron et blanc

Réalisation

Brodez le motif et collez ensuite la toile Aïda sur le support en suivant le contour de sa forme. Un petit nœud termine joliment cet objet.

Points utilisés

- point de croix (2 brins)
- demi-point de croix (2 brins)
- point de piqûre (1 brin)
- point de nœud (1 brin)

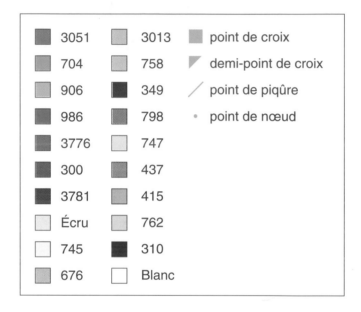

■ 3051	■ 3013	■ point de croix		
■ 704	■ 758	◤ demi-point de croix		
■ 906	■ 349	╱ point de piqûre		
■ 986	■ 798	• point de nœud		
■ 3776	■ 747			
■ 300	■ 437			
■ 3781	■ 415			
□ Écru	■ 762			
□ 745	■ 310			
■ 676	□ Blanc			

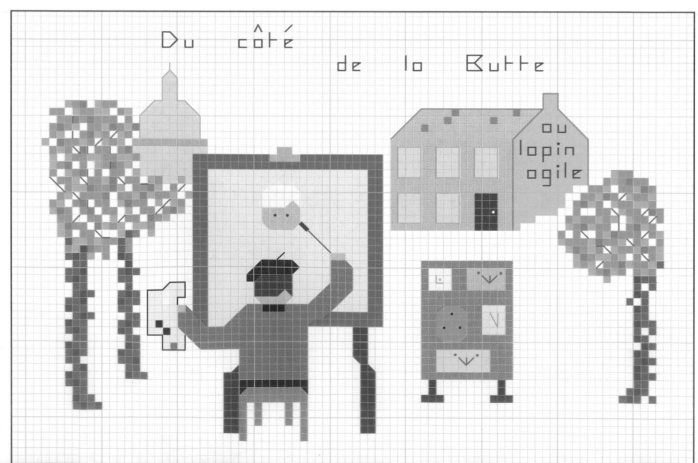

L'ÎLE-DE-FRANCE

Les armes de Paris

Des traces d'occupation datant de 4500 avant J.-C.
ont été repérées dans la capitale.

Les Parisii habitent Lutèce mais en 53
les Romains conquièrent Paris
dont Clovis fera sa capitale.

Sainte-Geneviève détourne Attila de la Cité.

Paris, capitale de la Monarchie, de l'Empire
et de la République, est appelée « Ville Lumière »
et « La plus belle ville du monde ».

Plumier

*Une originale façon de personnaliser le plumier
de votre enfant.*

La devise des armes de Paris étant :
« Fluctuat nec mergitur »
(Il est battu par les flots mais ne sombre pas).

Fournitures

- une échevette de coton à broder de chaque coloris
- 11 × 5,5 cm de toile Aïda en 5,5 points/cm
- un plumier
- 40 × 1 cm de ruban à carreaux bleu et blanc
- de la colle

Points utilisés

- point de croix (2 brins)
- demi-point de croix (2 brins)
- point de piqûre (1 brin)

Réalisation

Brodez le motif sur la toile Aïda
et collez-la sur le plumier.

Terminez en collant le ruban à cheval
sur la toile et sur le plumier.

☐ 677	■ 606	■ point de croix
■ 3781	■ 336	◢ demi-point de croix
☐ Écru	■ 3760	╱ point de piqûre
■ 921	■ 519	

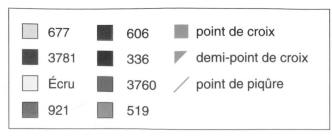

FLUCTUAT NEC MERGITUR

L'ÎLE-DE-FRANCE

Plan du métro

En 1898, Fulgence Bienvenue commence les travaux de construction du métro à ciel ouvert.

En 1900, la première ligne Maillot-Vincennes est inaugurée.

En 1976, le péage automatique généralisé est installé et deux cent dix kilomètres de lignes sont fréquentés annuellement par 1 533 700 000 passagers.

Une quatorzième ligne (Météor) vient de voir « le jour » !

Tableautin

Ce plan décorera joliment un bureau ou une entrée.

Fournitures
- une échevette de coton à broder de chaque coloris
- 34 × 30 cm de toile Aïda en 11 points/cm

Points utilisés
- point de croix (2 brins)
- demi-point de croix (2 brins)
- point de piqûre (1 brin)
- point de nœud (1 brin)

Réalisation
Brodez le plan du métro et les monuments parisiens sur la toile Aïda.

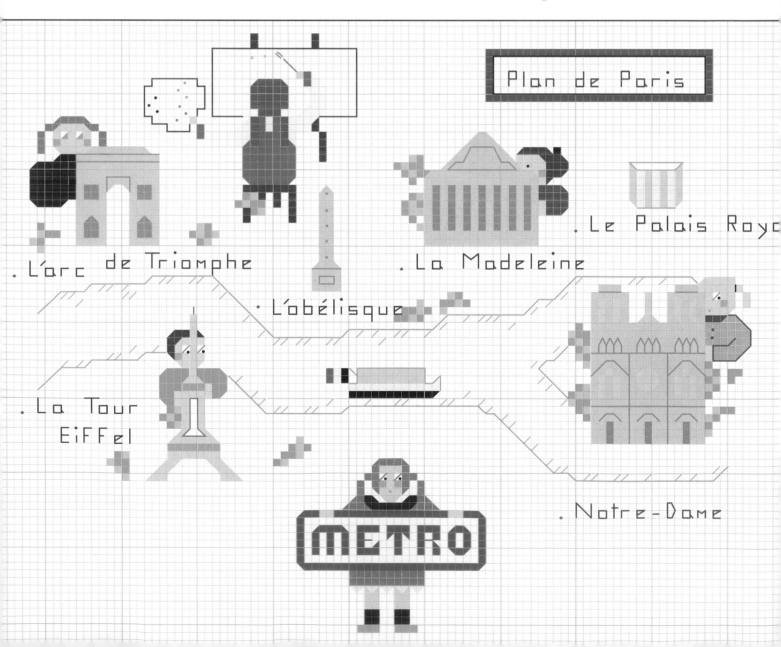

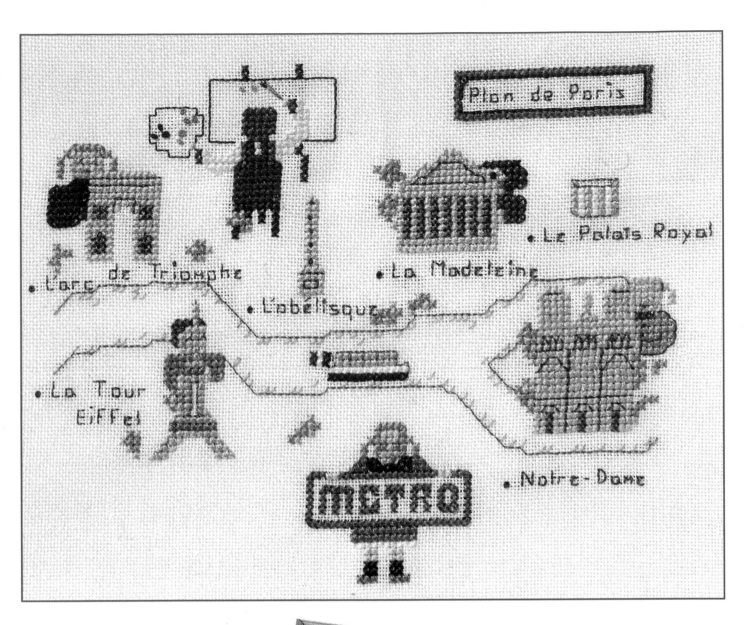

Plan de Paris

. L'arc de Triomphe

. La Madeleine

. Le Palais Royal

. L'obélisque

. La Tour Eiffel

. Notre-Dame

METRO

754	988	744
605	3348	725
3687	986	349
962	3781	977
798	433	Blanc
518	3776	762
519	3032	415
336	3033	Noir

■ point de croix

◤ demi-point de croix

╱ point de piqûre

• point de nœud

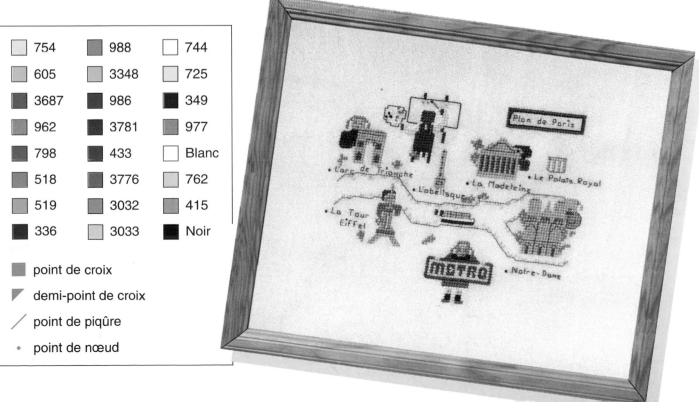

LA NORMANDIE

*Peuplée par les Ibères et les Celtes, occupée par les légions de Jules César puis par les Normands,
la Normandie assiste à l'épopée de Guillaume le Conquérant et subit son annexion par l'Angleterre.
En 1259, la Normandie devient Française.*

À retenir :
*Sainte Thérèse de l'Enfant Jésus, le Mont-Saint-Michel, la tapisserie de la Reine Mathilde et les précieuses dentelles.
Aujourd'hui, la Normandie est divisée en Haute et Basse-Normandie
avec deux capitales régionales, Caen et Rouen.*

Le bocage normand

Les gras herbages, l'élevage, le lait, la crème,
le beurre, les fromages, les pommes,
le cidre et le calvados font de la Normandie
un pays où il fait bon vivre.

Protège-carnet

Fournitures

- une échevette de coton à broder de chaque coloris
- 57 × 15 cm de galon de toile Aïda à damiers verts
  en 11 points/cm, en bordures

Points utilisés

- point de croix (2 brins)
- demi-point de croix (2 brins)
- point de piqûre (1 brin)
- point de nœud (1 brin)

Réalisation

Centrez bien la broderie sur le galon de toile.

Montez le protège-carnet en confectionnant
deux retours intérieurs de 7 cm qui, cousus sur les côtés,
serviront à glisser les deux couvertures du carnet.

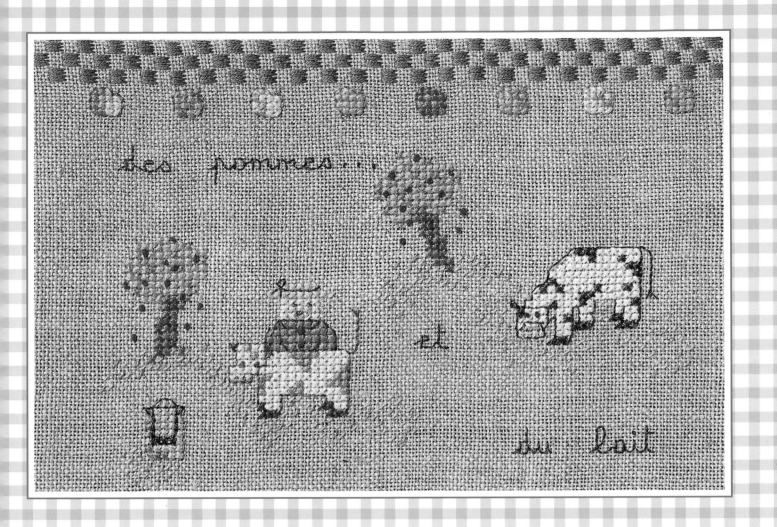

■ 301	■ 702	☐ Écru	■ point de croix
■ 722	■ 704	■ 817	◤ demi-point de croix
☐ 743	■ 809	■ 762	╱ point de piqûre
☐ 745	■ 791	■ 415	• point de nœud
■ 433	☐ 754	■ 535	
■ 3032	■ 894		

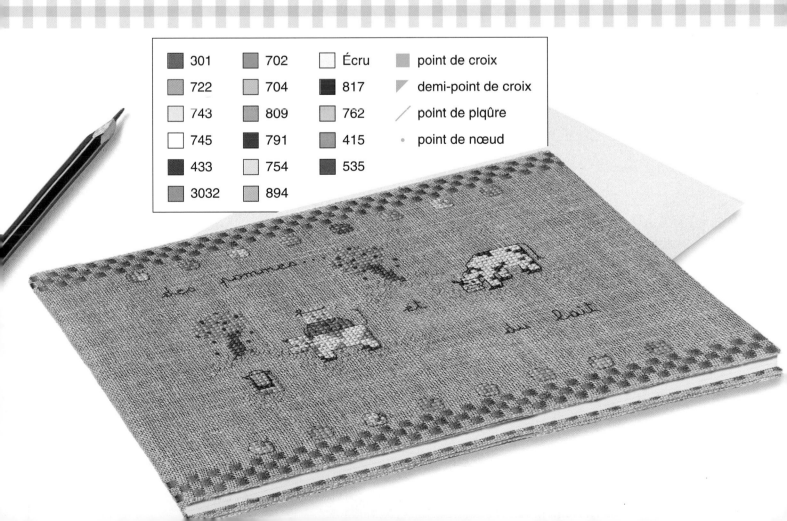

L'Artois, la Flandre et la Picardie

Passées successivement sous dominations Bourguignonne, Autrichienne,
Espagnole, Hollandaise et Anglaise,
ces provinces sont devenues françaises à la fin du XVIIIᵉ siècle.

Les maisons à «Pas de moineaux»

Ces maisons à fronton, de style flamand,
sont construites en briques rouges
et se trouvent fort bien restaurées
à Arras, Bailleul et Lille.

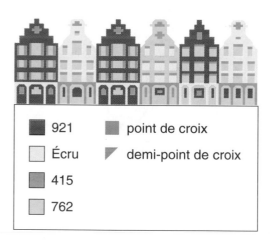

■ 921		◨ point de croix	
☐ Écru		◢ demi-point de croix	
▨ 415			
☐ 762			

Coussin pique-aiguilles

Fournitures

- une échevette de coton à broder de chaque coloris
- 30 × 14 cm de toile à broder écrue
- 30 × 14 cm de toile de lin écrue pour la doublure
- de la ouatine
- 100 × 1,5 cm de ruban à carreaux marron et blanc

Points utilisés

- point de croix (2 brins)
- demi-point de croix (2 brins)

Réalisation

Centrez et brodez le motif sur la toile à broder.

Montez la doublure endroit contre endroit en prenant soin
de laisser une ouverture sur le dessus pour le bourrage.

Retournez. Bourrez avec la ouatine.

Refermez l'ouverture par un point
en prenant les extrémités des rubans dans la couture.

Terminez par un joli nœud.

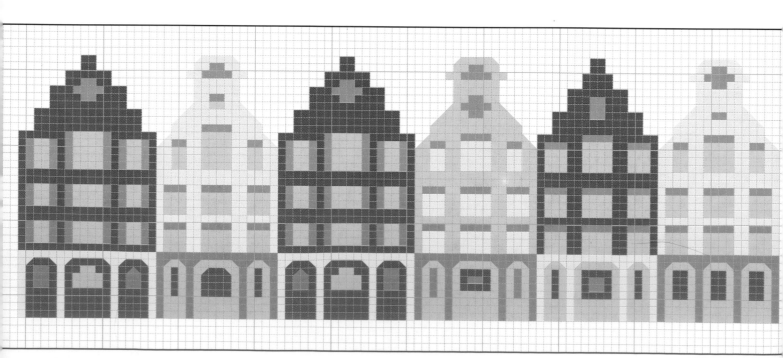

L'Artois, la Flandre et la Picardie

Les Géants du Nord

Ils sont nés à la fin du XVe siècle.

Tirés de la Bible ou de légendes,
ils représentent la force de la ville face aux invasions.
Ils sont présents dans les fêtes populaires
et dans les processions.

Construits sur une structure d'osier,
ils sont recouverts de papier mâché
et pèsent parfois plus de 350 kg
pour une taille de 8,50 m.

Ils sont vêtus de vêtements très bariolés.

Les plus célèbres sont M. et Mme Gayant de Douai.

Tableautin

Fournitures

- une échevette de coton à broder de chaque coloris
- 23 × 18 cm de toile Aïda de 5,5 points/cm
- 40 × 34 cm de tissu rayé jaune et blanc
- un passe-partout en carton de 30 × 24 cm
- un carton de fond de 21 × 27 cm
- de la colle et une attache de suspension

Réalisation

Brodez le motif sur la toile Aïda.

Centrez et découpez une fenêtre-image de 19 × 14 cm dans le passe-partout. Habillez-le de tissu rayé jaune et blanc.

Collez la broderie au dos en prenant soin de bien la centrer dans la fenêtre-image.

Posez le carton de fond et fixez l'attache de suspension.

Points utilisés

- point de croix (2 brins)   - point de nœud (1 brin)
- demi-point de croix (2 brins)   - point de piqûre (1 brin)

■ 349	□ Écru	■ point de croix
■ 823	■ 948	◢ demi-point de croix
■ 798	■ 776	╱ point de piqûre
■ 3755	■ 3781	• point de nœud
■ 437	■ 760	
■ 721	■ 310	
■ 744	□ Blanc	
■ 977		

L'Artois, la Flandre et la Picardie

Jeu de quilles ou de «billon»

Ces jeux se pratiquent aussi bien sur la place du village que dans l'estaminet
et font partie des traditions flamandes.

Ancêtres du bowling, les quilles en bois de charme pèsent jusqu'à 13 kg.
Quand au billon, cône taillé dans le bois, il pèse de 2 à 3 kg.

Ce jeu fait le bonheur des «frappeux» ou des «pointeux».

Coussin repose-tête

Fournitures

- une échevette de coton à broder de chaque coloris
- 28 × 21 cm de toile Aïda écrue en 7 points/cm
- 28 × 21 cm de toile de lin écrue pour la doublure
- 50 cm de ruban à carreaux vert et blanc
- 2 anneaux de bois de Ø intérieur 3 cm
- de la ouatine

Points utilisés

- point de croix (2 brins)
- demi-point de croix (2 brins)
- point de nœud (1 brin)
- point de piqûre (1 brin)

Réalisation

Centrez avec précision le motif sur la toile.

Cousez les rubans à 2 cm des bords.

Montez la doublure endroit contre endroit
en prenant soin de laisser une ouverture
sur le dessus pour le bourrage.

Retournez.

Bourrez avec la ouatine.

Refermez l'ouverture par un point
en prenant les rubans dans la couture
dans lesquels vous aurez pris soin de passer
les anneaux qui serviront à accrocher le coussin.

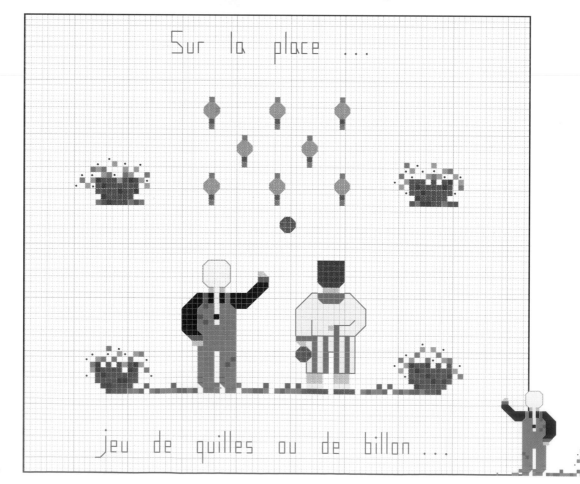

Sur la place.....

jeu de quilles ou de billon ....

	744		501		point de croix
	349		986		demi-point de croix
	754		906		point de piqûre
	962		3348	•	point de nœud
	798		433		
	809		840		
	3776		413		
	437		Blanc		
	721				

L'Artois, la Flandre et la Picardie

Les moulins et beffrois

Les moulins, fort utiles, servaient à écraser le grain.
S'il y avait 2000 moulins au XIXe siècle, il n'en reste plus qu'une vingtaine aujourd'hui.
Restaurés, ils sont visités et leurs ailes tournent lors des fêtes.

Les beffrois font aussi partie du décor.

Riches de leurs carillons, on peut les voir
et les entendre à Arras, Bailleul, Douai, Lille, Saint-Amand-les-Eaux…

Embrasse de rideau

Fournitures

- une échevette de coton à broder de chaque coloris
- 35 × 10 cm de galon à liseré bleu en 11 points/cm
- 35 × 10 cm de toile à carreaux bleu et blanc
- 2 anneaux de bois de Ø intérieur 3 cm

Points utilisés

- point de croix (2 brins)
- demi-point de croix (2 brins)
- point de piqûre (1 brin)

Réalisation

Sur le galon brodé, centrez le motif en largeur et à 1 cm du bas.

Faites un ourlet de 2 cm sur la partie gauche en prenant un anneau dans la couture.

Ourlez la toile à carreaux bleu et blanc.

Elle doit être de la même largeur et de la même longueur que le galon.

Assemblez par un point la toile et le galon sur l'envers de l'ouvrage.

Faites un ourlet de 2 cm sur la partie droite en prenant le deuxième anneau dans la couture.

■ 823	■ 350	■ point de croix
■ 3781	■ 367	◤ demi-point de croix
■ 433	■ 762	╱ point de piqûre
■ 3776	■ 310	
□ 822		

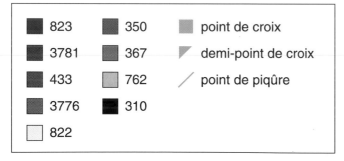

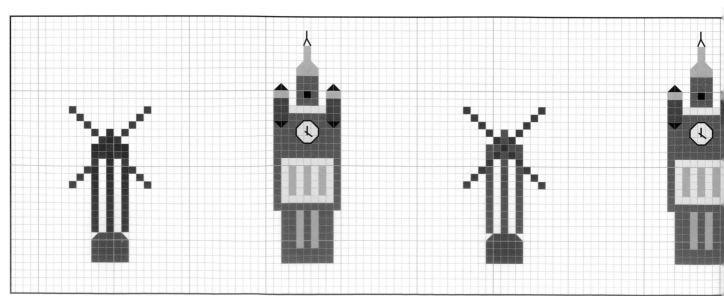

LE POITOU

Cette région peuplée par les Pictaves, fut soumise par les Romains en 56 av. J.-C.
Envahie par les Wisigoths, elle passa sous la dominante franque puis forma le noyau du duché d'Aquitaine.
Il fut difinitivement réuni à la couronne en 1417.

Le marais poitevin

Appelé la Venise verte, c'est un lieu magique calme et inquiétant fait d'eau et de végétation.

Paradis des pêcheurs, on navigue sur les canaux dans des «plates» ou des «yoles».

Sac

Fournitures

- une échevette de coton à broder de chaque coloris
- 17 × 16 cm de toile Aïda en 5,5 points/cm
- un sac acheté dans le commerce

Points utilisés

- point de croix (2 brins)
- demi-point de croix (2 brins)
- point de piqûre (1 brin)
- point de nœud (1 brin)

Réalisation

Centrez le motif sur le morceau de toile Aïda.

Montez-le sur le sac en faisant un petit ourlet de 0,5 cm tout autour.

Ce sac sera enrichi de cette broderie pleine de fraîcheur.

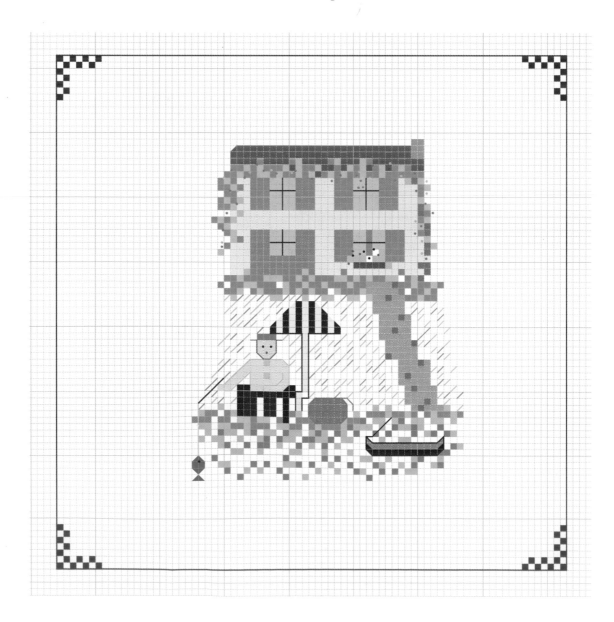

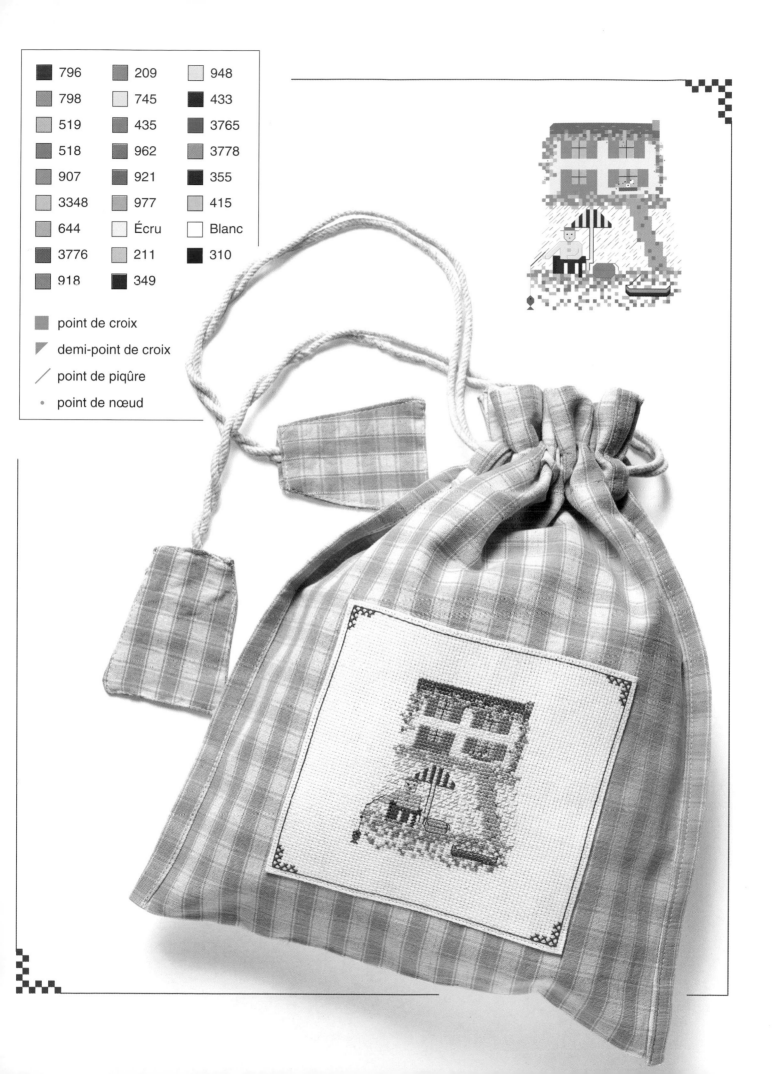

■ 796	■ 209	□ 948
■ 798	□ 745	■ 433
■ 519	■ 435	■ 3765
■ 518	■ 962	■ 3778
■ 907	■ 921	■ 355
■ 3348	■ 977	■ 415
■ 644	□ Écru	□ Blanc
■ 3776	■ 211	■ 310
■ 918	■ 349	

■ point de croix

▟ demi-point de croix

╱ point de piqûre

• point de nœud

LA PROVENCE

*Cette province fut occupée par les Ligures, les Phocéens qui fondèrent Marseille
et introduisirent la vigne et l'olivier
puis par les Celtes, les Romains, les Wisigoths, les Ostrogots, les Sarrasins et les Autrichiens.
La Provence devient Française en 1481 mais ce n'est qu'en 1790 qu'elle le sera définitivement.*

Arles

Gauloise puis Romaine, la ville située
sur les bords du Rhône est riche
d'un impressionnant passé archéologique.

La ville est renommée pour la beauté des Arlésiennes
mais aussi pour Van Gogh et Frédéric Mistral.

Les corridas ont su rendre célèbres ses arènes.

Les Arlésiennes

Le riche costume des Arlésiennes
a été chanté par Mistral.

Le petit bonnet, le fichu de soie, les dentelles noires,
le tablier brodé, les gants, l'éventail, les bijoux,
les chaussures noires et les bas blancs
rendent l'Arlésienne encore plus élégante.

Nous vous proposons ici un tableautin facile à faire.

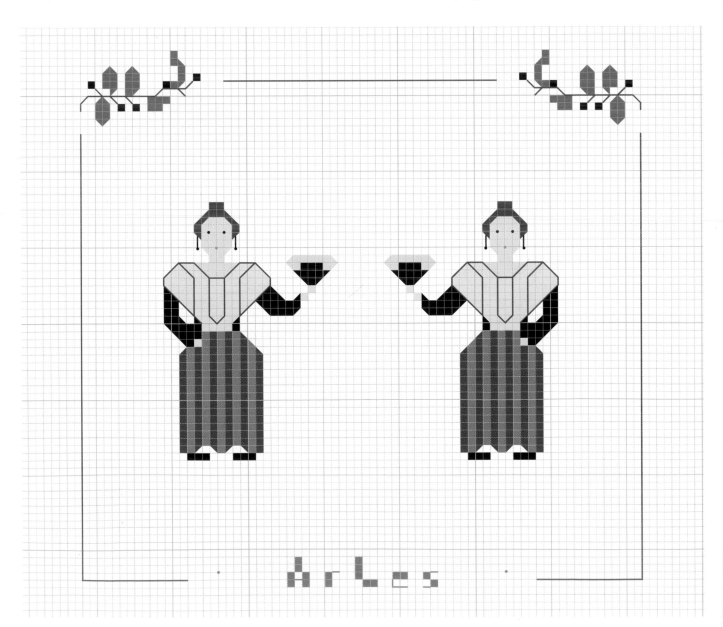

Tableautin

Fournitures

- une échevette de coton à broder de chaque coloris
- 19 × 14 cm de toile Aïda en 7 points/cm
- un cadre en bois rustique de 21,5 × 16,5 cm
- de la teinture gris/vert pour le bois

Réalisation

Centrez bien le motif sur la toile Aïda.

Appliquez la teinture sur le cadre.

Laissez sécher.

Encadrez la broderie
en prenant soin de bien la centrer.

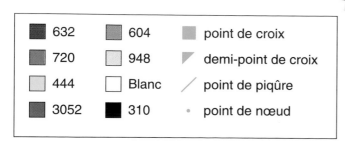

■ 632	■ 604	■ point de croix
■ 720	■ 948	◤ demi-point de croix
■ 444	□ Blanc	╱ point de piqûre
■ 3052	■ 310	• point de nœud

Points utilisés

- point de croix (2 brins)
- demi-point de croix (2 brins)
- point de piqûre (1 brin)
- point de nœud (1 brin)

LA PROVENCE

Avignon

Ancienne capitale des Gaulois Cavares, Avignon, du latin *Avenio* : ville à l'avoine, devient une colonie de vétérans après la conquête de Jules César.

Envahie par les Burgondes, les Ostrogoths, les Sarrasins, elle fut ensuite indépendante.

Les souverains pontifes y séjournèrent de 1309 à 1377.

Ce n'est qu'à la Révolution Française qu'Avignon est rattachée à la France.

La cité est riche d'un patrimoine architectural extraordinaire avec le Palais des Papes construit de 1336 à 1370, Notre-Dame-des-Doms, l'Hôtel des Monnaies, etc.

Aujourd'hui, elle a rendu célèbre son festival.

Sur le pont d'Avignon

Le pont Saint Benezet, dont la tradition attribue la construction à un jeune pâtre de douze ans appelé Benezet, canonisé par le pape Innocent IV, fut construit entre 1175 et 1185.

Les piles étaient d'origine romaine.

Reconstruit au XIIIᵉ siècle, il fut rompu au XVIIᵉ siècle.

Des dix-neuf arches dont il était composé n'en subsistent que quatre, datées des XIVᵉ et XVᵉ siècles.

La comptine se moque de l'inondation de 1668.

Sac à commissions pour petites filles

Fournitures
- une échevette de coton à broder de chaque coloris
- 23 × 10 cm de galon Aïda brodé en 11 points/cm
- un sac acheté dans le commerce

Points utilisés
- point de croix (2 brins)
- demi-point de croix (2 brins)
- point de piqûre (1 brin)
- point de nœud (1 brin)

Réalisation
Centrez le motif, en largeur et en hauteur sur la toile Aïda. Cousez la broderie sur le sac à 2 cm du bas en prenant un ourlet de 1 cm de chaque côté, dans la couture.

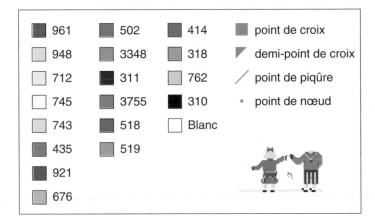

■ 961	■ 502	■ 414	■ point de croix
■ 948	■ 3348	■ 318	▼ demi-point de croix
□ 712	■ 311	■ 762	/ point de piqûre
□ 745	■ 3755	■ 310	• point de nœud
■ 743	■ 518	□ Blanc	
■ 435	■ 519		
■ 921			
■ 676			

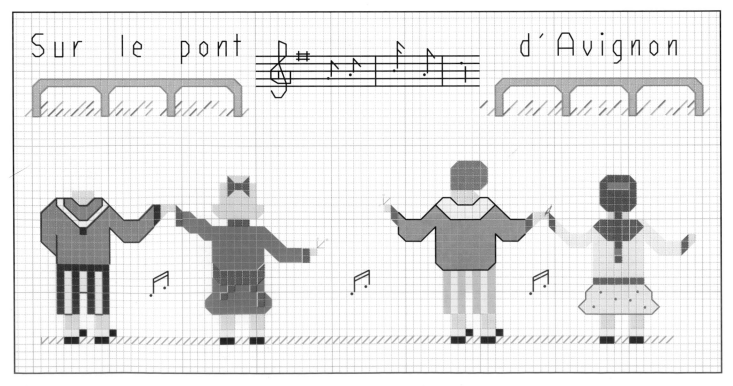

LA PROVENCE

La Camargue

Les marais, les dunes, les salines font la Camargue,
mais son âme est toute entière
dans les chevaux arabes et les taureaux.

Les chevaux sont de petites tailles et très robustes

Noirs à leur naissance, ils changent de robe
vers cinq ans, puis deviennent blancs
comme le veut la tradition.

Les gardians

Les gardians habitaient autrefois
dans des cabanes au toit de chaume.

Ils surveillent sur leur monture,
les troupeaux de taureaux
qu'ils amènent d'un pâturage à l'autre.

Tableautin

Fournitures

- une échevette de coton à broder de chaque coloris
- 27 × 21 cm de toile Aïda bleue en 11 points/cm
- un cadre en bois mouluré de 27 × 21 cm
- un carton de fond de 18 × 24 cm
  (ou celui fourni avec le cadre

Points utilisés

- point de croix (2 brins)
- demi-point de croix (2 brins)
- point de piqûre (1 brin)
- point de nœud (1 brin)

Réalisation

Brodez le motif en le centrant sur la toile Aïda.

Montez la broderie sur le carton de fond
en la rabattant sur l'envers afin qu'elle soit bien tendue.

Montez le cadre.

■ 3781	■ 3765	■ point de croix
□ 948	■ 518	◢ demi-point de croix
■ 760	■ 703	╱ point de piqûre
■ 783	■ 433	• point de nœud
■ 921	■ 310	
□ Écru		

LA PROVENCE

Les flamants roses

Les flamants roses sont indissociables
de la Camargue et leur vol,
tant au soleil couchant que levant, est une merveille.

La Camargue est aussi le refuge des hérons,
des martins-pêcheurs et autres oiseaux.

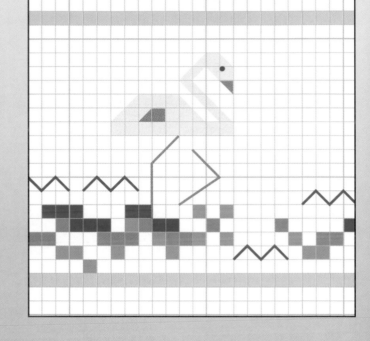

Modèle

*Cette frise de flamands roses agrémentera
un drap de bain.*

Fournitures

- une échevette de coton à broder de chaque coloris
- de la toile Aïda en 11 points/cm

Points utilisés

- point de croix (2 brins)
- demi-point de croix (2 brins)
- point de piqûre (1 brin)
- point de nœud (1 brin)

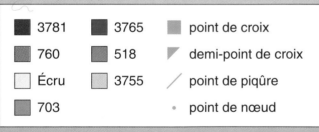

■ 3781	■ 3765	■ point de croix
■ 760	■ 518	◣ demi-point de croix
□ Écru	□ 3755	╱ point de piqûre
■ 703		• point de nœud

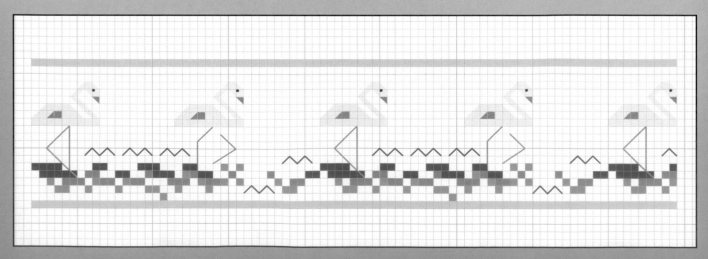

LA PROVENCE

Les Saintes-Maries-de-la-Mer

Grand lieu de pèlerinage annuel rassemblant au mois de mai les gitans de toute l'Europe.

La légende veut que Marie-Jacobée, Marie-Salomé et Marie-Madeleine aient abordé sur cette côte en l'an 40.

Ce pèlerinage est empreint d'une grande dévotion.

Modèle

Ce ravissant petit motif sera tout à fait charmant sur un gant de toilette.

Fournitures

- une échevette de coton à broder de chaque coloris
- de la toile Aïda en 11 points/cm

Points utilisés

- point de croix (2 brins)
- demi-point de croix (2 brins)
- point de piqûre (1 brin)
- point de nœud (1 brin)

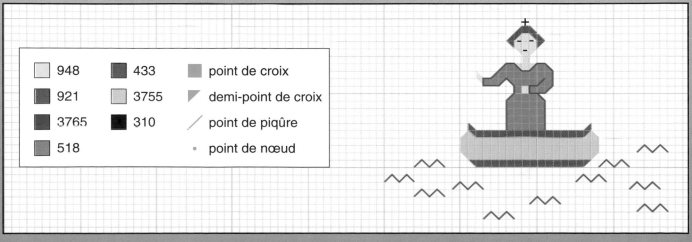

▢ 948	◼ 433	◼ point de croix	
◼ 921	▢ 3755	◥ demi-point de croix	
◼ 3765	◼ 310	╱ point de piqûre	
◼ 518		• point de nœud	

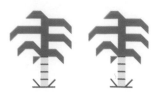

LE PAYS NIÇOIS

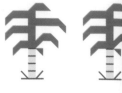

*Des traces du prépaléolithique ont été trouvées dans la grotte du Vallonnet à Roquebrune
ainsi que des traces humaines datant de 300 000 ans avant J.-C.
Des Ligures, des Grecs, des Romains occupent le pays qui devient indépendant sous les Comtes de Provence
et passe ensuite dans la Maison de Savoie. Annexée par la France en 1793 et en 1815
par le Royaume Sardo-Savoyard, ce n'est qu'en 1860, après un plébiscite, que la ville de Nice devient française.
Le nom « Côte d'Azur » a été inventé par Stéphen Liegeart en 1888.*

La Riviera

Réserve à crayons bien utile sur le bureau,
ce gobelet vous fera rêver aux maisons ocre
ou beige, aux palmiers, bougainvilliers,
mimosas, orangers et citronniers.

Réalisation

Brodez le motif sur la toile Aïda et collez la broderie
sur le gobelet.

Fixez la toile par des points de colle
en superposant les extrémités.

Gobelet brodé

Fournitures
- une échevette de coton à broder de chaque coloris
- 24 × 15 cm de toile Aïda écrue en 5,5 points/cm
- un gobelet de 12 cm de hauteur et de Ø 7 cm
- de la colle

Points utilisés
- point de croix (2 brins)
- demi-point de croix (2 brins)
- point de piqûre (1 brin)
- point de nœud (1 brin)

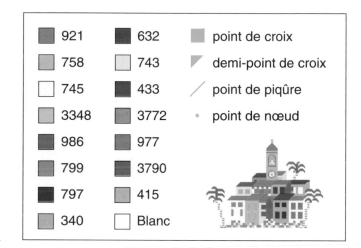

921	632	point de croix
758	743	demi-point de croix
745	433	point de piqûre
3348	3772	point de nœud
986	977	
799	3790	
797	415	
340	Blanc	

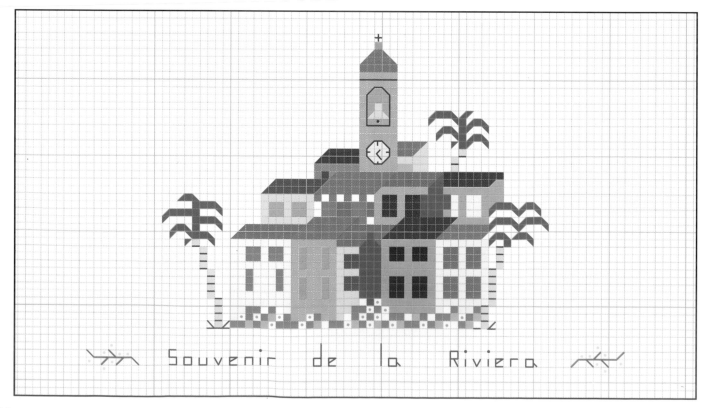

Souvenir de la Riviera

LE BÉARN

Cette province française fait aujourd'hui partie du département des Pyrénées-Atlantiques.
La vicomté créée vers 820 fut rattachée à l'Aquitaine
et passa aux maisons de Foix en 1290, d'Albret en 1484 et de Bourbon en 1548.
Elle fut réunie à la couronne en 1620.

Les aigles et les marmottes

Créé en 1967, le Parc National des Pyrénées protège,
et laisse en liberté, des ours, des chamois, des lynx,
des aigles royaux et… des vautours d'Égypte.

Des papillons rares ajoutent leurs couleurs
à celles d'une grande quantité de fleurs.

Une règle personnalisée pour écolier étourdi

Fournitures
- une échevette de coton à broder de chaque coloris
- 30 × 3 cm de toile Aïda en 7 points/cm
- une règle de 30 cm avec le dessus séparé
- de la colle

Points utilisés
- point de croix (2 brins)
- demi-point de croix (2 brins)
- point de piqûre (1 brin)
- point de nœud (1 brin)

Réalisation
Brodez le motif sur la toile Aïda.
Collez la broderie sur le fond de la règle.

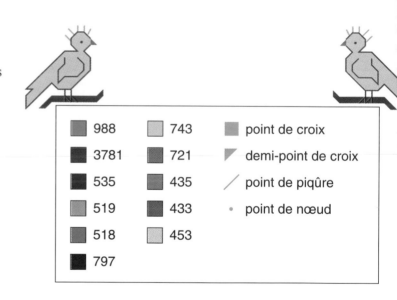

■ 988	■ 743	■ point de croix
■ 3781	■ 721	◤ demi-point de croix
■ 535	■ 435	╱ point de piqûre
■ 519	■ 433	• point de nœud
■ 518	■ 453	
■ 797		

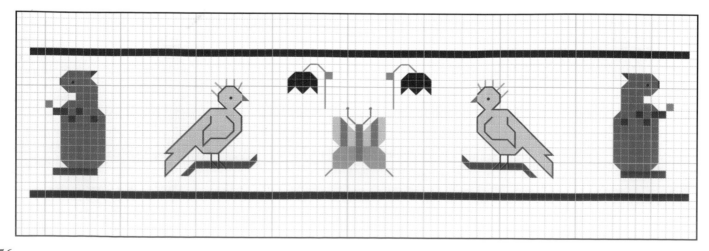

LA SAVOIE

Située à la frontière de l'Italie, de la Suisse et de la France
entre le Lac Léman, les Alpes, le Rhône et le Guiers,
cet ancien duché a été réuni à la France, en 1860, par le suffrage unanime des habitants.
La Savoie est renommée pour ses sources thermales.
Les Savoyards venaient à la fin du XIXe siècle et au début du XXe à Paris
pour ramoner les nombreuses cheminées.

Costumes savoyards

Très attachés à leurs traditions,
les Savoyards conservent précieusement
leurs costumes et ne les portent que pour les grandes fêtes.

Tableautin à suspendre

Fournitures
- une échevette de coton à broder de chaque coloris
- 30 × 23 cm de toile Aïda mastic en 5,5 points/cm
- une bande de 60 × 10 cm de toile vichy
  à carreaux rouge et blanc
- un peu de raphia

Points utilisés
- point de croix (2 brins)
- demi-point de croix (2 brins)
- point de piqûre (1 brin)
- point de nœud (1 brin)

Réalisation
Centrez et brodez le motif sur la toile Aïda.

Ourlez le bas et le haut du tableautin.

Gansez les côtés avec la toile vichy.

Confectionnez trois pattes et montez-les sur l'arrière.

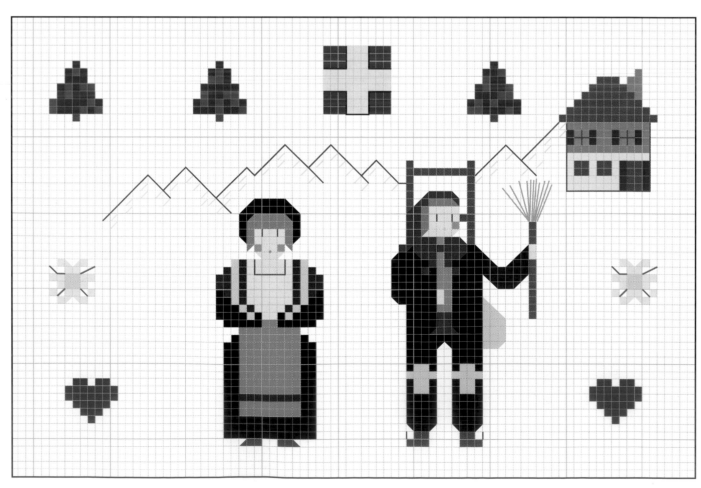

■ 319	□ 948	■ point de croix
■ 986	■ 3687	◤ demi-point de croix
■ 349	▨ 743	╱ point de piqûre
■ 921	■ 604	• point de nœud
■ 918	■ 415	� raphia
■ 435	■ 310	
▨ 822	□ Blanc	
■ 798		

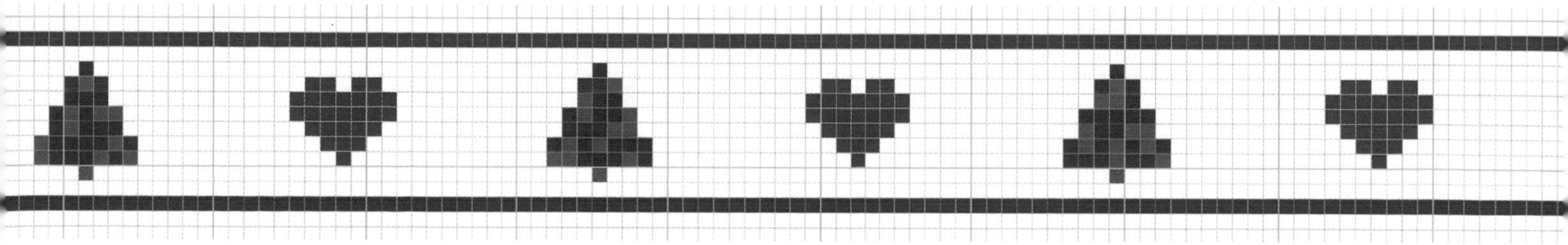

LA TOURAINE

*Ancien pays des Celtes Turones,
la Touraine forma un comté au Xe siècle
que se disputèrent la France et l'Angleterre aux XIIe et XIIIe siècles.
La Renaissance lui donna un grand lustre.
Aimée des rois de France, elle se couvrit de châteaux puis fut abandonnée
au profit de Paris et de Versailles. Aujourd'hui elle est, entre autres, réputée pour ses vignobles.*

Maison de maître

Souvent résidence secondaire, ces grandes maisons
permettent de regrouper la famille
et les amis le temps d'un week-end ou de vacances.

Pelote à épingles

Fournitures

- une échevette de coton à broder de chaque coloris
- 22 × 15 cm de toile Aïda en 11 points/cm
- 30 × 15 cm de toile rayée
- de la ouatine
- un anneau en bois de Ø intérieur 3 cm

Points utilisés

- point de croix (2 brins)
- demi-point de croix (2 brins)
- point de piqûre (1 brin)
- point de nœud (1 brin)

Réalisation

Centrez et brodez le motif sur la toile Aïda.

Cousez, endroit contre endroit, la toile rayée en prenant
soin de laisser une ouverture pour le bourrage.

Retournez et bourrez avec la ouatine.

Fermez l'ouverture en la cousant.

Confectionnez la patte dans le reste de toile rayée
en prenant soin de passer l'anneau de bois.

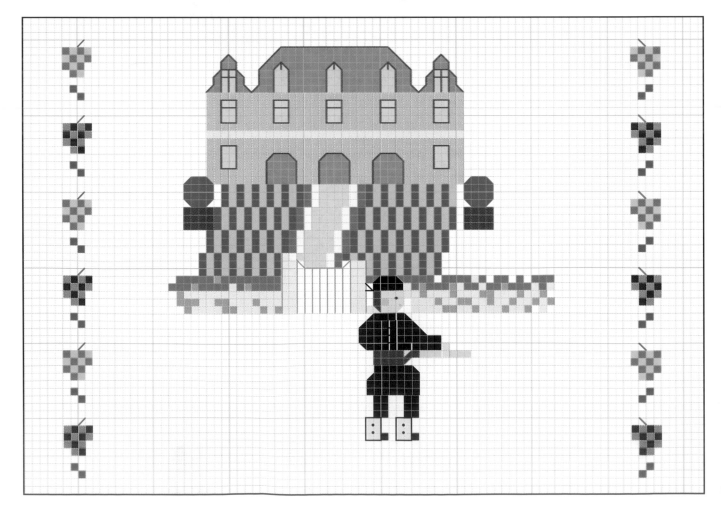

Vue de face

Vue de dos

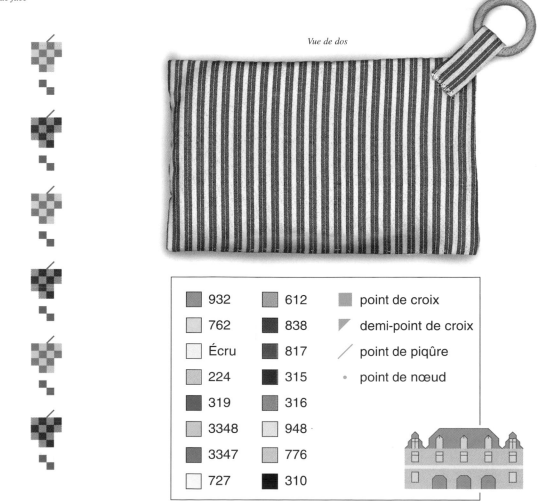

▦ 932	▦ 612	▦ point de croix
▦ 762	▦ 838	◣ demi-point de croix
☐ Écru	▦ 817	╱ point de piqûre
▦ 224	▦ 315	• point de nœud
▦ 319	▦ 316	
▦ 3348	▦ 948	
▦ 3347	▦ 776	
☐ 727	▦ 310